KB077198

AI 동화컬렉션

7가지 빛깔 감성동화

발   행 | 2024년 4월 18일
저   자 | 카빙쌤, 김은정, 꽃보다김선생, 강지선, 배경남, 나나쿡, 이종숙
펴낸이 | 한건희
펴낸곳 | 주식회사 부크크
출판사등록 | 2014.07.15.(제2014-16호)
주   소 | 서울특별시 금천구 가산디지털1로 119 SK트윈타워 A동 305호
전   화 | 1670-8316
이메일 | info@bookk.co.kr

ISBN | 979-11-410-8173-7

www.bookk.co.kr

7가지 빛깔 감성동화

AI동화컬렉션

7명의 작가들이 **인공지능**을 활용해 만든
감성을 자극하는 **동화 모음집**

카빙쌤, 김은정, 꽃보다김선생, 강지선, 배정남, 나나쿡, 이종숙

7가지 빛깔 순서

AI 동화 컬렉션 2번째 이야기

7명의 작가들이 만나 무지갯빛 감성을 전합니다.
모험을 통해 용기를 얻고, 어려움을 극복하는 법을 배울 수 있는 감성동화.

여우 피노와 함께 별섬의 비밀을 탐험하고, 모험왕 컬리의 모험에 함께 할 것입니다. 주왕산 할머니와 오리 삼 형제, 산타 고양이 뿌뿌의 썰매드론, 수학 마법 여행, 작은 정원의 큰 비밀, 그리고 숲 속 친구들의 우정까지, 다양한 주제를 다루며 여러분에게 다채로운 감정과 생각을 전달할 것입니다.

이번 감성동화는 모험을 통해 용기를 얻는 법을 보여줍니다. 또한 각각의 이야기는 여러분에게 용기와 희망의 메시지를 전달할 것입니다.

여러분의 마음을 따뜻하게 만들며, 새로운 세계로 여러분을 안내할 것입니다. 함께 동화의 세계로 떠나보세요!

7인의 작가가 전합니다
카빙쌤, 김은정, 꽃보다김선생, 강지선, 배정남, 나나쿡, 이종숙
2024. 4월 봄날에

7가지 빛깔
감성동화

제 1 화

피노와 별섬의 비밀

AI 큐레이터 | 지식경영디자이너
Microsoft Azure AI 국제자격증
프롬프트 엔지니어 전문가과정 수료
1인기업CEO실전경영전략과정 수료
-저서활동-
AI 동화컬렉션 "5가지 영감을 주는 마법같은 동화 "
AI 동화컬렉션 <특별한 우정> E-BOOK
미드저니 프롬프트 200선 e-book
나를 살린 자기사랑 테라피 | 시간의 흐름을 걷다
kkc5020@naver.com

이현 | 카빙쌤

작가이야기

"피노와 별섬의 비밀"은 어린 독자들을 위한 동화로, 협력과 우정을 중심으로 한 이야기입니다. 작품은 피노와 그의 친구들이 별섬에서 조각난 별조각을 찾아 예전 아름다움을 되찾는 모험을 그립니다. 이 작품을 통해 어린이들에게 협력과 친구들과의 연대감의 중요성을 강조하고, 어려움을 극복하며 얻는 뿌듯함을 전달하고자 합니다.

작가로서 이 작품을 쓴 배경은 어린이들의 상상력을 자극하고 별에 대한 로망을 공감하고자 한 것입니다. 우리는 모두 작은 조각이지만 모여서 하나로 합쳐지면 더 큰 아름다움을 창출할 수 있다는 메시지를 전달하고자 합니다.

마지막으로, 어린이들에게 협력과 우정을 통해 모든 어려움을 극복할 수 있다는 긍정적인 메시지를 전달하고자 합니다. 피노의 모험이야기 다음편도 기대해주세요. 감사합니다.

피노와 별섬의 비밀

글 이현 chatgpt
그림 미드저니
편집 이현

아름답고 평화로운 숲 속 마을, 호기심 가득한 꼬마여우
피노는 오늘도 별을 보느라 하늘을 몇 시간째 바라보고
있답니다.
매일밤 피노는 별이 가득한 밤하늘을 바라보며 잠이
들곤 했어요.

"저 별들은 어디서 온 걸까? 정말 신기해!"
그때 밤하늘을 가로지르며 숲 속마을 바다 건너로
떨어지는 별똥별을 봤어요.
눈이 동글해진 피노는 별조각이 어디로 떨어진 건지
궁금했어요.

다음날 아침, 피노는 친구들을 만났어요.
피노는 친구들에게 별조각을 찾겠다고 말했어요.
릴리와 오로는 호기심 가득한 눈빛으로 피노를
 바라보았답니다.

"별조각이라니, 환상적이야! 나도 도와줄게!"
토끼 릴리가 말했어요
올빼미 오로도 함께하기로 했어요.
피노와 친구들은 각자 필요한 물건을 챙겨 별조각을
찾으러 출발했어요.

바다를 건너 도착한 섬은 신비롭고 아름다웠어요.
빛나는 꽃들과 이상한 식물들이 피노와 친구들을
맞이했답니다.
   "이곳은 정말 마법의 섬 같아!"
피노는 정말 신비한 섬이라고 생각했어요.
"마법의 섬이라니 정말 환상적이야!"
릴리도 맘에 들어했어요.
" 지금 우리가 그럴 때가 아닌 것 같은데? "
역시 똑똑 박사 오로예요.

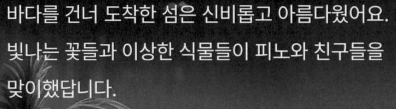

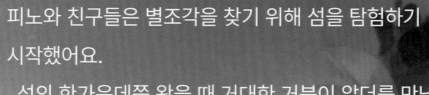

피노와 친구들은 별조각을 찾기 위해 섬을 탐험하기
시작했어요.
　섬의 한가운데쯤 왔을 때 거대한 거북이 알더를 만났어요.
알더는 섬의 수호자였죠.
　"용감한 여우와 친구들이여, 별조각을 찾아 우리 섬을
　구해 줄 수 있겠느냐?"
" 섬을 구해달라니 너무 환상적이야! "
　릴리가 눈을 반짝이며 말했어요.

그때, 갑자기 섬이 어두워지기 시작했어요. 어둠의 그림자가
섬을 덮치고 있었어요.
빛이 가려져 숲의 꽃들이 조금씩 시들어가기 시작했어요.

 "이런, 섬이 점점 변하고 있어! 어떻게 하지?"
피노가 말했어요.
똑똑 박사 오로는 책을 펼쳐 숫자를 써 내려가기 시작했어요.
" 음, 내 계산에는 우리가 별조각을 찾아 하나로 만들면
  다시 빛을 찾는다고 나오는군! "
안경을 으쓱거리며 오로가 말했어요.

섬의 수호자 알더는 피노와 친구들에게 말했어요.
"섬의 비밀이 너희를 도와줄 거야."

"얘들아, 서두르자,
더 어두워지기 전에 별조각을 찾아야 해!"

피노는 섬의 가장 오래된 나무 옆에서 반짝이는
무언가를 발견했어요. 그건 바로 별조각이었어요.
"여기 있었구나! 첫 번째 별조각을 찾았어!"

고대 나무의 요정은 피노에게 별조각의 비밀을 말해주었어요.

"이 별조각은 우리 섬의 생명력을 유지하는 데 꼭 필요해.

각 조각은 섬의 균형과 조화를 상징하지.

모든 조각이 모이지 않으면 섬은 어둠에 잠길 거야."

릴리는 신비한 호수에서 반짝이는 빛을 발견했어요.

물속에 숨겨진 별조각이었어요!

"이것이 바로 두 번째 별조각이야!

넌 정말 아름답구나! 환상적이야! "

호수의 요정은 릴리에게 말했어요.

"이 별조각은 섬의 순수함과 아름다움을 지키는 열쇠야.

어둠은 이 아름다움을 빼앗으려 하지만, 별조각을 모으면

섬은 다시 빛날 수 있단다."

오로는 섬의 한 구석에 숨겨진 동굴을 탐험하며 마지막 별조각을 발견했어요.
  "여기 있었군. 마지막 별조각을 찾았어!"

동굴의 요정은 오로에게 신비로운 별에 대한 이야기를 해주었어요.
  "마지막 별조각은 섬의 지혜와 역사를 담고 있지. 모든 조각이 합쳐져야만 섬의 진정한 빛이 드러나게 된단다."

피노, 릴리, 오로는 세 조각을 함께 맞추었어요.
그러자 조각들이 하나의 완전한 별로 변했어요.
별이 완성되자 어둠이 걷히고 섬은 다시 빛을 되찾았어요.

마법의 섬은 이전보다 더욱 화려하고 아름다워졌답니다.

섬의 수호자 알더는 감사 인사를 했어요.

"너희들의 용기와 협력이 우리 별의 섬을 구한 거야.

정말 고맙구나.! "

피노와 친구들은 정말 기뻤어요.

"이제, 집으로 갈 시간이야. "

피노는 오로를 보며 윙크를 했어요.

"음, 내 계산에 따르면 말이야.

 바다를 다시 건너면 되는데 말이지. "

오로는 열심히 계산을 하며 말했어요.

"하하하, 걱정 마라.

별빛이 너희들을 안내 해줄 거야. "

알더는 웃으며 말했어요.

피노와 친구들은 밤하늘에 반짝이는
별들 아래를 지나며 바다를 건넜어요.
별빛은 그 길을 밝혀주며 안내를 했지요.

"바다는 고요하고 별빛은 우리 길을 밝혀주는구나."

피노는 물결에 비친 별빛을 바라보며 말했어요.

"정말 마법 같은 밤이야."

"저기 우리 마을이 보여!" 릴리가 소리쳤어요.

저 멀리 숲이 보이기 시작했어요

"정말 환상적인 모험이었어 !"

릴리의 말에 친구들은 함께 웃으며 행복했답니다.

"와, 무지개다, 무지개 끝에는 뭐가 있을까? "

호기심 많은 피노
다음엔 어떤 모험이 기다리고 있을까요?

7가지빛깔
감성동화

제 2 화

모 험 왕 컬 리

공저 < 터닝포인트로 퀀텀 점프하라 >

AI의 디지털 세계에서 공부를 시작하며,
디자인의 매력에 눈을 떴습니다. 그림과 색채가
어우러진 그림들 사이에서, 어린이 동화책을 만들겠다는
꿈을 키웠다. '이현 선생님의 동화책 만들기 수업'은
제 꿈을 현실로 이끌어주는 길잡이가 되었습니다.
이 수업을 통해, 저는 단순한 상상에서 벗어나 실제로
그림책을 창작하는 방법을 배웠습니다. 처음에는 무엇을
그려야 할지 막막했습니다. 그림 그리는 것이 쉽지
않았어요. 하지만, 저는 포기하지 않았습니다. 여러
선생님들과의 협업은 저에게 새로운 시각을 제공했고,
저는 그들로부터 많은 것을 배웠습니다. 각기 다른
스타일과 기술을 접하며, 제 그림은 점점 생명을 얻기
시작했습니다.
그렇게 하나둘 쌓아 올려 결국 즐거움으로 가득 찬 동화책으로
완성되었습니다. 이 책은 제 꿈과 노력 그리고 여러 선생님들과의
협력으로 아름다운 동화책이 완성되었습니다.

모험왕 컬리

글　　　김은정
그림　　챗gpt, 플레이그라운드ai, 캔바

옛날 옛적, 평화로운 숲 속에 컬리라는
호기심 많은 다람쥐가 살고 있었어요.
컬리는 모험을 좋아하고
친구들이 많았어요.

기분이 좋은 컬리는 신이 나서
"안녕 친구들아! 숲 속 깊은 곳에
신비한 동굴이 있다고 들었어.
거기를 탐험해 보자!"라고 말했어요

토끼 버니는 걱정스러워서
"확실해 컬리? 안에 괴물이 있으면 어떻게?"
라고 말했어요.
트위치가 "걱정하지 마 버니
우리가 같이 있으면 괜찮아"

컬리가 나비에게
"나비야 먼저 날아가봐.
우리가 따라갈께"라고 말했어요

컬리와 친구들은 나비를 따라 갔어요.
동굴이 보였는데, 물소리와 그림자로 가득 차고
어둡고 구불구불한 동굴로 들어갔어요

"이 소리 들려? 물소리가 나고 있어"
러스티가 속삭였어요

"소리를 따라가 보자. 어쩌면 놀라운 일이 있을 것 같아!"
친구들은 모두 "그래" 라고 말했어요

소리를 따라가다가 숨겨진 지하 강을 발견했는데
건널 수 있는 다리가 없었어요.
버니가 걱정하며 "컬리 이걸 어떻게 건너야 하지?"
라고 말했어요

컬리는 곰곰이 생각하고
"입구 근처에서 큰 나뭇잎을 본 기억이 나
나뭇잎을 배로 만들자!"라고 말했어요

컬리와 친구들은 서로 힘을 모아서
나뭇잎 배를 만들었어요.
모두 배에 올라타서 조심스럽게 강을 건넜어요.

그들은 배에서 내렸어요
트위치가 신이 나서
"이것봐 얘들아! 빛나는 버섯 숲을 발견했어!"
라고 말했어요

사슴 플러터가 놀라며
"너무 예뻐! 하지만 만지지 마.
독버섯일지도 모르잖아"라고 말했어요.

컬리와 친구들은 빛나는 버섯에 놀랐지만,
지하 미로에서 길을 잃었다는 것을 깨달았어요

러스티가 걱정하며 "돌아가는 길을 찾아야 해.
그렇지 않으면 여기에 영원히 갇히게 될 거야!"
컬리가 결심하며 "걱정 하지마, 얘들아.
우리 힘을 합쳐서 탈출구를 찾아보자."라고 말했어요

컬리와 친구들은 여기저기
둘러보며 미로의 탈출구를 찾아다녔어요.
마침내 동굴 끝에서 밝은 빛을 발견했어요.

놀라면서 흥분한 스퀴지가 말해요
"저기다! 저기 빛이 보여! 우리가 해냈어!
우리는 집에 갈 수 있어!" 라고 안심했어요.

그리하여 호기심 많은 컬리와 친구들은
무사히 동굴에서 나왔어요
컬리는 즐거운 모험을 경험한 것을
대단히 기뻐했어요.

컬리는 친구들과 다음에
어떤 모험을 할 것인지
즐거운 상상 하며 집으로 돌아왔어요.

제 3 화

주왕산 할머니와
오리삼형제

인성교육실천교원연합 부산지부장
저서:『너에게만 알려주는
시크릿 가이드북』
『한글 마법학교 1편』
『한글 마법학교 2편』
『우리의 전성기는 아직 오지 않았다』
『AI로 쉽게 배우는 영어』
『프로그램 개발자가 되고 싶은
너에게』
 교사들을 위한『실전 책쓰기 전략』
『동화작가가 되고 싶은 너에게』

꽃보다 김선생

작가 이야기

세상을 살면서 우리에게는 많은 만남들이 다가옵니다.
그 만남을 어떻게 풀어가느냐에 따라 인생이 보람차게
느껴지기도 하고 허무하게 느껴지기도 하는 것
같습니다.
오늘은 엄마 잃은 오리들과 할머니의 아름다운 만남에
관한 이야기를 준비했습니다.
이 책을 읽을 어린이들에게 좀 더 친근감을 주기 위해
토끼가 이야기를 들려주는 방식으로 동화를
썼습니다.
이 이야기를 통해 우리 인생에 주어진 많은 만남들에
대해 다시 생각해보는 시간이 되기를 소망합니다.

주왕산 할머니와 오리 삼형제

글, 편집 : 꽃보다 김선생
그림: 미드저니

안녕하세요?

저는 귀염둥이 토끼 토토라고 해요.

오늘은 제가 주왕산 할머니와

세 마리의 아기 오리들에 관한

옛날 이야기를 여러분에게

들려 드릴까 해요.

경상북도 청송군 주왕산면 하의리에서

십 리 쯤 들어가야 하는

산골짜기에 위치한

사부실은 모래 사(沙)에 오리 부(鳧)를

쓰는데, 독특한 의미가 붙게 된 데에는

다음과 같은 사연이 있어요.

옛날 옛적 주왕산 기슭의

어떤 외딴 마을에

할머니 한 분이 혼자 살고 계셨어요.

하루는 빨래하러 냇가로 나갔다가

오리알 세 개를 발견했어요.

"아니, 이런 곳에 오리알이 있다니...

어미 오리가 알을 품지 않고

버리고 갔나 보네. 쯧쯧."

혹시나 다른 동물들에게

해를 당할까 염려한

할머니는 오리알들을 잘 싸서

아늑하고 양지바른

바위 옆에 두었어요.

다음날 그 자리에 다시 가보았더니

글쎄 귀여운 아기 오리 세 마리가

할머니를 초롱초롱 바라보고

있는 게 아니겠어요?

할머니는 너무나 기뻤어요.

그리고 아기 오리들을

치마폭에 폭 싸서 집으로 돌아왔어요.

홀로 외롭게 살던 할머니에게
아기 오리들은 가족같이 느껴졌어요.
할머니는 포근한 보금자리를 만들어주고
맛난 먹을거리를 챙겨주며
정성을 다해 오리들을 길렀어요.
오리들도 할머니를 따르며
하루가 다르게 쑥쑥 자랐어요.

그러던 어느 날 아침이었어요.

여느 때처럼 일어나자마자

오리들이 잘 있는지 살펴보기 위해

마당으로 간 할머니는

깜짝 놀라고 말았어요.

오리들이 온데간데없이

모두 사라져버렸기 때문이었죠.

할머니는 오리들이

있던 곳은 물론,

오리들이 자주 가던

미나리꽝이며

냇가며 앞뒤 밭들까지

샅샅이 뒤졌지만

오리의 자취는

찾을 길이 없었어요.

슬픔에 잠긴 할머니는 오리들이

돌아오기만을 이제나저제나

기다렸어요.

그렇게 삼 년이라는 세월이 흘렀어요.

어느 날 밤 잠을 자는데

꿈속에서 오리 한 마리가 나타나,

"할머니, 내일 아침

냇가로 나가보세요.

꼭이요." 하는 것이었어요.

깜짝 놀라 잠에서 깬 할머니는

아침이 오기를 뜬눈으로 기다렸어요.

해가 뜨기 무섭게

냇가로 달려갔더니,

오리 수백 마리가 마치

인사라도 하듯

머리를 숙이고는

줄지어 서 있는 것이 아니겠어요?

그중 덩치가 큰 오리 한 마리가

앞으로 썩 나서며 말했어요.

"할머니께서 잘 거두어주신 덕분에

이렇게 많은 자손을

거느리게 되었습니다.

이 깊은 은혜를 어찌 다 갚을는지요."

할머니는 삼 년 전 사라진 오리 중
한 마리임을 단번에 알아보고는
눈물을 흘리며 기뻐했어요.
"아이고, 어디 갔다가 이제야 왔니.
반갑구나, 반가워."

이후 오리들은 한시도
할머니 곁을 떠나지 않으며
할머니의 일을 거들고
말동무가 되어 주었어요.

할머니가 밭일을 하면
달려들어 부리로 풀을 뽑았고
무거운 짐을 나를라치면
달려들어 함께 날라주었어요.
어린 오리들이 부리는 애교와 재롱에
할머니의 하루하루는
즐겁고 행복했어요.

그렇게 몇 해가 훌쩍 지났어요.
할머니는 마을 사람들에게
항상 밝은 웃음을
선사하는 분이었어요.

그러던 어느 날 할머니는 마을을 뒤덮은
큰 눈보라로 인해 길을 잃어버렸어요.
할머니는 어디로 가야 할지 모르고
헤매고 있었어요.
바로 그때, 할머니를
마중 나온 오리들을 만나게 되었어요.

할머니는 마중 나온 오리들이
너무나 반갑고 기특했어요.
"너희들이 여기까지
어떻게 알고 왔니?
나랑 함께 길을 찾아보자꾸나."
하지만 눈보라는 점점 강해져서
할머니와 오리들은 길을
찾기가 어려워졌어요.
그러나 할머니와
오리들은 결코
포기하지 않았어요.

오리들과 할머니는 서로를 격려하고
의지하며 눈보라를 이겨냈어요.
드디어 할머니와 오리들은
집으로 돌아가는 길을 찾아내었고
안전하게 집에 도착할 수 있었어요.
이렇게 오리들과 할머니는 함께
어려움을 극복하고
굳건한 의지로 서로를 지켜냈어요.

어느 날, 먼 길을 가던 한 나그네가

할머니의 집에서 하룻밤을

묵어가게 되었어요.

나그네는 수백 마리 오리들을

보고는 놀라기도 하고

호기심이 생기기도 하여 물었어요.

"아니, 웬 오리가 이리도 많습니까?

모두 할머니께서

키우는 오리입니까?"

할머니는 나그네에게

그간의 사연을 들려주었어요.

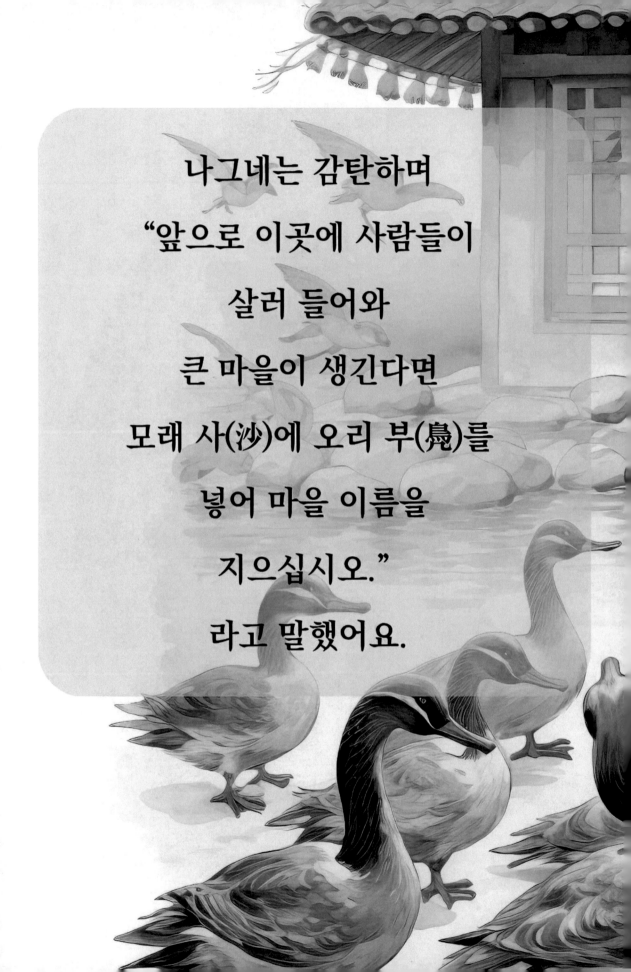

나그네는 감탄하며

"앞으로 이곳에 사람들이

살러 들어와

큰 마을이 생긴다면

모래 사(沙)에 오리 부(鳧)를

넣어 마을 이름을

지으십시오."

라고 말했어요.

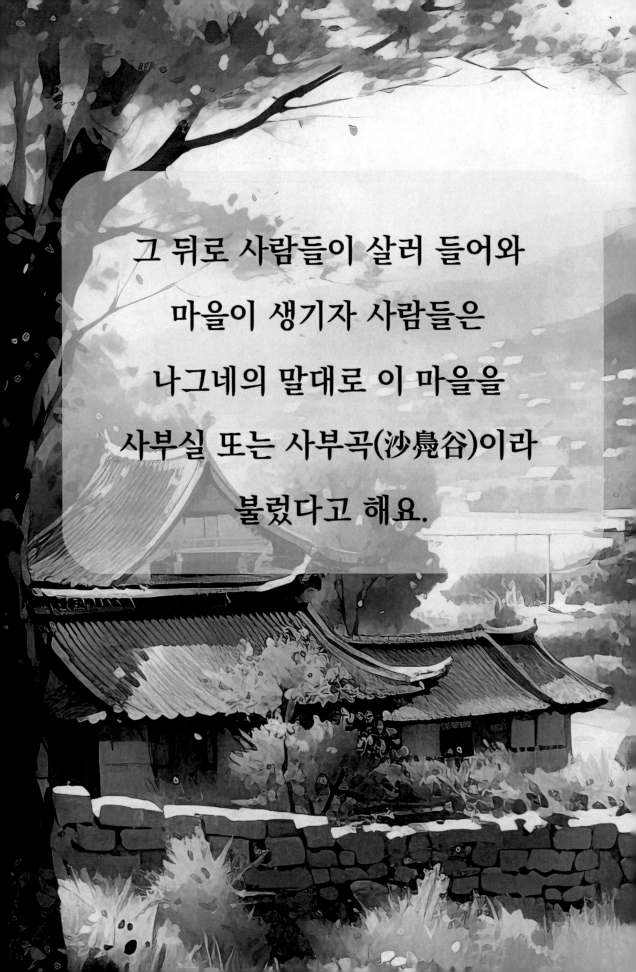

그 뒤로 사람들이 살러 들어와

마을이 생기자 사람들은

나그네의 말대로 이 마을을

사부실 또는 사부곡(沙鳧谷)이라

불렀다고 해요.

오늘 이야기 잘 읽어 보셨나요?

이 이야기 속에서 할머니는 오리알들이

부화할 수 있도록 도와주었어요.

또 할머니는 오리들의

도움을 받아 문제를 해결합니다.

저는 이 이야기를 통해

다른 사람들과 서로 돕고

협력하면서 살아가는 태도가

얼마나 소중한 일인지

알려주고 싶었어요.

할머니와 오리들은 눈보라 속에서도

희망과 용기를 잃지 않았어요.

오히려 서로를 격려하며

어려움을 극복합니다.

할머니와 오리들처럼

여러분들에게도

어려운 상황이 올 수 있지만

포기하지 않고 끝까지

도전하는 것이

중요하다는 사실을

이야기해 주고 싶었어요.

세상을 살면서 우리에게는
많은 만남들이 다가옵니다.
그 만남을 어떻게 풀어가느냐에 따라
인생이 보람차게
느껴지기도 하고
허무하게 느껴지기도
하는 것 같습니다.
이 이야기에 나오는 할머니와
오리들처럼 우리에게 주어진
만남들을 소중하게 여기는
마음을 가져봅시다.

7가지 빛깔
감성동화

제 4 화

산타고양이
뿌뿌의 썰매드론

작가소개
강지선

어려서부터 책을 좋아하고 동화작가가 꿈이었습니다.
어느덧 한 아이의 엄마가 되어 함께 동화책을 읽다보니
잊혀졌던 어릴때 꿈이 생각났습니다.
비슷한 꿈을 가진 엄마들과 함께 AI로 그림그리기를
배우며 동화작가의 꿈을 실현하고 있습니다.

저서:고양이선장 뿌뿌와 피자해적단(작가와)

동화소개

굴뚝으로만 선물 배달을 해온 산타할아버지는
아마 지금 100층 짜리 고층 아파트를 보면
선물을 어찌 배달해야 할지 한숨을 쉬고 있을지 모릅니다.

고양이 산타 뿌뿌가 제페토 할아버지의 도움을 받아
최신 현대식 드론으로 위기를 넘기고
고층 아파트에 사는 아이들에게 크리스마스 선물을
잘 배달할 수 있을까요?

산타 고양이 뿌뿌의 썰매드론

글쓴이,편집: 강지선
그림: Bing

크리스마스가 얼마 남지 않은
어느날 저녁,

아이들에게 배달할 선물을 포장하던
꼬마 고양이 산타 뿌뿌는
자신이 아끼던 썰매가 고장난 것을
뒤늦게 발견했어요

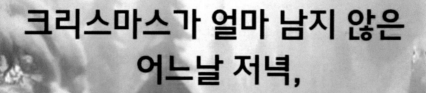

"아이들에게 선물을
어떻게 배달해야 하지?
정말 큰일났네"

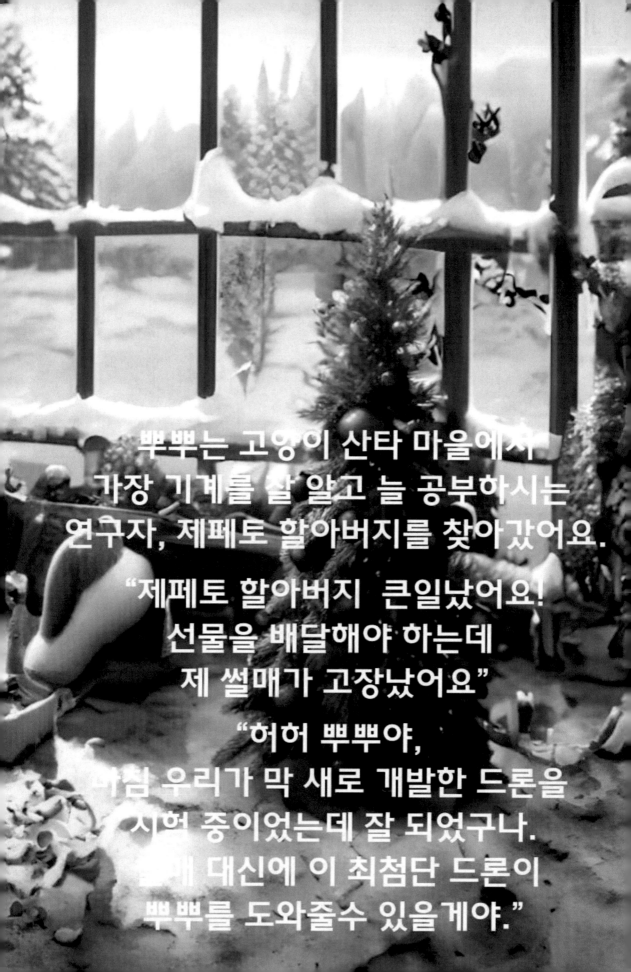

뿌뿌는 고양이 산타 마을에서
가장 기계를 잘 알고 늘 공부하시는
연구자, 제페토 할아버지를 찾아갔어요.

"제페토 할아버지 큰일났어요!
선물을 배달해야 하는데
제 썰매가 고장났어요"

"허허 뿌뿌야,
마침 우리가 막 새로 개발한 드론을
시험 중이었는데 잘 되었구나.
썰매 대신에 이 최첨단 드론이
뿌뿌를 도와줄수 있을게야."

"제페토 할아버지, 드론이 뭐에요?"

"드론은 하늘을 날아다니는
작은 기계 장치란다.
마치 새의 날개처럼 프로펠러를
달고 있어서 하늘에서
자유롭게 움직일 수 있어.

이 드론을 땅에 있는 우리가 무선 조종기로
어느 방향으로 갈지 조종하는거야.

뿌뿌가 크리스마스 선물을 배달할때
큰 도움이 될테니 지금 무선조종기로
드론을 조종하는 연습을 많이 해놓거라"

매일매일 열심히 연습을 한 뿌뿌는
이제 눈을 감고도
드론을 조종할 수 있을 만큼
실력이 늘었어요.

드론은 이제 고양이 산타 뿌뿌만의
썰매드론이 되었어요.

"제페토 할아버지, 크리스마스 선물이
많아서 드론 한개로는 부족할 것 같아요."

"허허 그것은 걱정 말거라.
이 제페토 할아버지가
아주 많은 드론을 가지고 있지"

드디어 모든 준비를 마친
고양이 산타 뿌뿌와 썰매드론은
마지막으로 선물들을 정리했어요.

"조심히 잘 다녀오거라 뿌뿌야
이 제페토 할아버지가 멀리서도
무선조종을 도와주도록 하마"

뿌뿌는 고양이 산타 마을을 출발하여
높은 고층지대의 아파트에 사는 아이들에게
선물을 주기위해 힘차게 출발했어요.

반짝반짝 오색빛깔의 선물을
썰매드론에 가득 실었어요.

하늘을 가로질러 힘차게 날아가던
썰매드론은 이내 반짝이는 것을
너무나 좋아하는 까마귀 떼를 만나고 말았어요.

썰매드론이 들고있는 선물이 햇빛에 반사되어
보석처럼 반짝이기 시작하니
까마귀들이 점점 가까이 모여들었어요.

"이를어째! 수백마리의 까마귀떼들이
우리쪽으로 몰려오고 있어"

뿌뿌는 재빨리 제페토 할아버지에게
전화를 걸었어요.

"할아버지 큰일났어요!
수백마리의 까마귀떼들이 몰려와서
선물을 가져가려고 해요"

"허허 걱정말거라
수백대의 드론이 어떻게 멋지게
변신하는지 보여주마"

썰매드론을 따라오고 있었던
수백대의 드론이 일제히 움직이더니
어느새 하늘 전체를 뒤덮을 정도로
거대한 새의 모습으로 변신했어요.

까마귀떼들은 처음보는 거대한 새와
드론의 웅웅거리는 소리에 너무나 놀라
모두 순식간에 도망쳤어요.

까마귀떼를 물리치고
드디어 고층아파트에 도착한
고양이 산타 뿌뿌는 한숨을 돌렸어요.

그런데 고층아파트의 높이가
100층이 아니겠어요?!!

"세상에, 굴뚝도 없어져서
배달도 어려워졌는데
아파트 높이가 100층이라고?

제페토 할아버지의 드론이 아니었으면
크리스마스가 지나도록
선물을 모두 배달하지 못했을 거야."

자 이제 수백번 연습했던
나의 드론 조종 실력으로
어서 선물 배달을 마무리하자.

수백대의 드론이 동시에
배달을 시작하자
순식간에 100층 아파트
발코니마다 선물을
배달할 수 있었어요.

아이들이 곤히 자고있는
아파트 발코니마다
아이들이 소원에 적어놓았던
선물들을 차근차근
내려놓았어요

크리스마스 선물 배달을
모두 마치고,
수백대의 썰매드론은 일제히
고층 아파트의 맨 꼭대기로
날아올랐어요.

축하 파티라도 열듯이
드론들은 일제히 밤하늘에 별처럼
아름답게 반짝이기 시작했어요.

마치 100층짜리
멋진 크리스마스 트리를
보는것처럼 너무나 아름다웠어요.

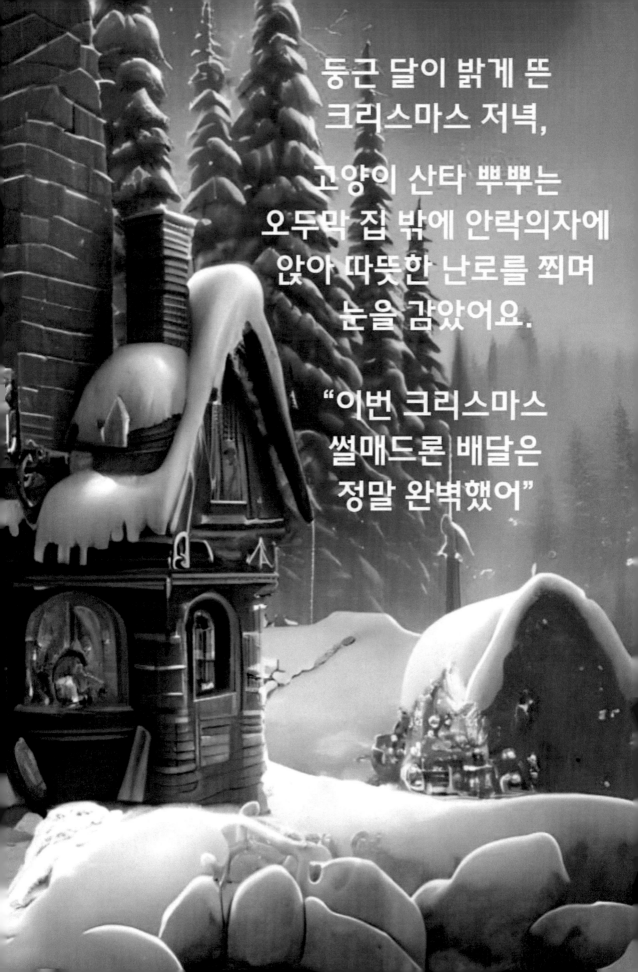

둥근 달이 밝게 뜬
크리스마스 저녁,

고양이 산타 뿌뿌는
오두막 집 밖에 안락의자에
앉아 따뜻한 난로를 쬐며
눈을 감았어요.

"이번 크리스마스
썰매드론 배달은
정말 완벽했어"

제 5 화

마법사 요미와 함께 하는
수학마법여행

글쓴이 : 배경남

　안동 시내에 위치한 작은 한옥에 살며 조이매스 창의수학교실을 운영하고 있습니다. 간장 비빔국수를 해주는 한옥 수학 공부방선생님입니다.
　작년부터 남편을 도와서 쉼과 위로를 주는 공간인 토닥토닥한옥스테이를 운영하며, 안동을 여행하시는 분들을 맞이하고 있습니다.

−블로그//blog.naver.com/todaktodakhanok
−인스타 @todaktodak_hahok_stay

그린이 : 서주희

　글쓴이의 딸입니다.현재 대학교에서 언론 정보와 영상 미디어를 공부하고 있습니다. 다큐를 통해 세상과 소통하고자 애쓰고 있는 청년입니다.
−수상 : 서울독립영화제 단편 부문 우수작품상

작가 이야기

　수학은 사람들에게 인기가 없습니다. 인기는 없지만 성적 때문에 포기하기도 어려운 공부입니다. 카빙선생님께서 AI를 이용하여 동화 쓰는 모습을 보았습니다. 학생들에게 들려주고 싶은 수학 이야기를 동화로 만들 수 있다면 좋겠다는 마음으로 작업에 참여하였습니다. AI를 이용하여 글을 쓰고 그림을 그리는 것은 생각보다 단순하지 않았습니다. 결국 내용은 제가 쓰고 딸이 그림을 그려 완성하게 되었지만 AI를 통해 영감을 받아서 가능했습니다. 동화는 연산의 기초가 되는 더하기와 빼기 기호에 대한 이야기입니다. 부모님과 동화를 읽으며 수학과 친해지면 좋겠습니다. 이 내용은 중학교 1학년 정수에 나오는 음수와 양수 개념을 손쉽게 풀어 놓은 것입니다. 수학에 있는 기호의 의미를 알게 되면 "수학이 언어" 라는 측면을 이해할 수 있게 됩니다. 수학이 받고 있는 오해가 점차로 풀어지게 되기를 바랍니다. 생각보다 재미있는 수학과 만나게 될거예요.

어른이 읽어주는 수학 동화

마법사 요미와 함께 하는
수학마법여행

글 : 배 경 남

그림: 서 주 희

아침부터 나윤이는 신이 났어요.

안동에 있는 한옥에서 자게 되었거든요.

자동차에서 내려 골목으로 들어갔어요.

하얀 벽에 토닥토닥한옥스테이라고 쓰여져 있었어요.

"와! 너무 예쁘다. 딱 내 스타일이야."

아빠와 엄마는 짐을 정리해요.

나윤이는 한옥의 이곳저곳을 구경하며

예쁜 사진을 찍고 있었어요.

"엄마 고양이에요. 고양이!"

나윤이 소리에 놀란 고양이는

재빨리 담장을 넘어 사라졌어요.

엄마는 나윤이에게 수학문제지를 풀라고 하셨어요.
수학이 싫은 나윤이는 시무룩해졌어요.

"나윤아, 토닥토닥한옥은 조금 특별한 곳 이래.
이곳에서 수학 공부를 하면
수학 마법사를 만날 수도 있다고 해."

엄마의 말을 듣고 잠시 생각을 하던 나윤이는
수학문제를 풀기 시작했어요.

나윤이는 마법사를 만나고 싶었거든요.

한 문제 풀고,

두 문제 풀고

세 번째 문제를 풀다가

그만 잠이 들어버렸어요.

"나윤아, 나윤아!"
누군가 나윤이를
살랑살랑 흔들며 깨웠어요.

"안녕!
나는 수학 마법사 요미라고 해.
나를 만나고 싶어서
수학 문제 푸는 것을 봤어."

"수학 마법사를 진짜로 만나다니! "

마법사를 만난 나윤이는 기뻐서 어쩔 줄을 몰랐어요.

"나윤아.

나와 함께 재미있는 수학 마법 여행을 시작해 볼까?"

나윤이는 환하게 웃으며 고개를 끄덕였어요.

"내 손을 잡아. 그리고 두 눈을 꼭 감아."

눈을 뜨자 나윤이의 눈앞에 펼쳐진 곳은

신기하고 예쁜 물건들로 가득한 시장이었어요.

"여기는 수학 마법 시장이야.

심술쟁이 마법사로부터

수학을 구하기 위해서 만들어진 곳이지."

수학 마법사 요미는 심술쟁이 마법사와

마법의 가루에 대해 자세히 설명해 주었어요.

"마법의 가루는
수학 약속을
잊어버리게 하는 거야.
수학 약속을 모르면
수학이 어려워지고
수학을 싫어하게 되지."

"나도 수학이 어려워서 싫은데,
마법의 가루 때문이었군."

시장을 구경하던 나윤이는 마음에 드는 인형을 발견했어요.

"인형을 사기 위해서는 돈이 필요해."

"이곳에서 돈이 필요할 때는
수학 문제 은행에 가서 수학 문제를 푼단다."

수학문제은행에 도착한 나윤이는 갑자기 표정이 바뀌었어요.

"무슨 걱정이 있어?"

"수학 문제를 풀려니 걱정이 되고 불안해."

"나윤아. 걱정하지 마. 나는야 수학 마법사 요미!

내가 도와줄게.

나와 천천히 수학 약속부터 알아보자."

"수학에서 제일 많이 쓰이는 기호는 뭘까?"
"더하기와 빼기지. 그리고 =(는)"
"그래. 맞아. 먼저 =(는)은 같다는 뜻이란다."

"그럼 더하기와 빼기는 무슨 뜻일까?"
"더하기와 빼기가 뜻이 있어?
"더하기와 빼기는 약속이야."
"뭐? 더하기와 빼기가 약속이라고?"

"그래. 사실은 수천 년 전부터 있었던 약속이야.
그때는 사람들이 모두 수학을 좋아했어.
심술쟁이 마법사가 수학 약속을 잊어버리게 하는
마법의 가루를 뿌렸지.
더하기와 빼기 약속을 잊어버리자
수학이 어려워지게 되었어."

"심술쟁이 마법사 만나기만 해 봐라.
가만 두지 않겠어."

요미는 친절하게
더하기와 빼기 약속을 알려줬어요.

"더하기는 많아지고, 높아지고,

길어지고, 오른쪽으로 가고,

위로 가고, 선물을 받는 거야.

기억할 수 있겠어?"

"당연하지."

"빼기의 약속은 뭘까?"
"빼기의 약속은

더하기 약속의 반대인가?"

"오~ 딩동댕!"

"그럼 빼기는

적어지고, 낮아지고, 짧아지고, 왼쪽으로 가고,

아래로 가고, 선물을 주는 거야."

요미는 나윤이와 손바닥을 마주쳤어요.

"이제 실제 생활에서 더하기와 빼기를 찾아볼까?"

"찾았다. 빼기 3!"

"어디?"

"저기 풍선 가게를 봐.
바람이 불자 풍선 3개가
하늘로 날아가 버렸어."

나윤이는 눈을 반짝이며 하늘을 가리켰어요.

"풍선이 11개 있었는데
3개가 날아가서
8개만 남았어."

"그렇구나!
이 말을 수와 기호로 표현한다면
어떻게 될까?"

"음 … 그건
11 빼기 3은 8라고 하는 건가?"

나윤이는 파란 하늘에
귀여운 손가락으로 숫자를 쓰면서 말했어요.

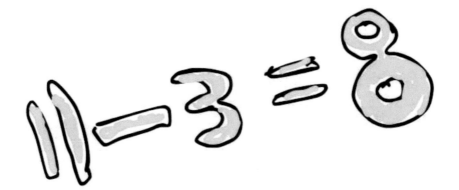

"나윤아, 저기 봐.
붕어빵 집에 손님이 두 명 더 왔어.
더하기일까 빼기일까?"

"한 명이 있었는데 두명이 더 많아졌으니
더하기지.
1 더하기 2는 3 !"
"딩동댕!
나윤이가 더하기와 빼기의 명탐정이 되었네!"

자신감이 생긴 나윤이는
신나게 더하기와 빼기를 찾았어요.

"또 찾았어. 더하기 10!"
"뭐가 더하기 10이지?"
"더하기와 빼기의 약속을 알게 되자
수학 자신감이 10으로 높아졌어."

나윤이와 요미는 두 손을 맞잡고
빙글빙글 돌면서 기뻐했어요.

"나윤아, 나윤아! 일어나.
맛있는 저녁 먹으러 가자. "

잠에서 깬 나윤이는
한 동안 멍하니 주변을 두리번거렸어요.

"꿈이 재미있었나 보네. 자면서 웃더구나. "

"조금 전까지 요미와 함께 있었어요.
진짜 수학 마법사를 만났어요.
수학 마법 시장에도 가고
더하기 빼기 약속도 배웠어요.
진짜 신나는 시간이었어요."

"와! 나윤이가 수학 문제를 풀었더니,
 정말 수학 마법사를 만나게 되었구나."

엄마와 아빠는 외출 준비를 하셔요.
나윤이는 멍하니 마루에 앉아 있어요.
토닥토닥한옥 마당에 어둠이 내리자
조명이 하나씩 켜졌어요.

반짝이는 불빛 속 나윤이는
담장 위 고양이와 눈이 마주쳤어요.
고양이가 나윤이를 보고 씽긋 웃었어요.

"수학 마법사 요미! 우리 또 만나자. 고마워"
"야옹!"

나윤이도 환하게 웃었어요.

1. 더하기와 빼기의 약속을 기억하나요?
2. 요미와 나윤이처럼 더하기와 빼기를 주변에서 찾아 볼까요?
   더하기와 빼기를 찾았나요?
3. 옆에 있는 사람과 이야기해 보아요.

4. 보기처럼 식을 만들고, 여러 가지 이야기를 만들어 보아요.

보기 4+5=9

가방에 책이 4권이 있었어요.
도서관에 들려서 5권의 책을 빌렸더니
읽을 책이 9권이 되었어요.

7가지 빛깔
감성동화

제 6 화

작은 정원의 큰 비밀

작가 소개

나나쿡 힐링 연구소 대표
32년차 대학병원 수간호사

저서:
인공지능으로 비디오스튜 완죤뽀개기(크몽)
공저
시화집: 11월, 어느 멋진 날 (유페이퍼, yes24)

이메일 kooknana@schmc.ac.kr

나나쿡(nanakook)
2019년 12월에 맞이하게 된 세계적인 대 혼란 코로나....
대학병원의 수간호사로 전쟁을 선포하며 양말이 빵구날 정도로 바쁘게 두려움
과 무지함에 도전하며 3년을 살아가고 있었습니다.
그 후 어느 정도 누구나 적응해 가는 4년 째가 되면서 메타버스와 온라인을 알게
되고 접하게 되었습니다.

2023년 2월에 다다른 인공지능!
새로운 온라인의 이슈... 인공지능이 다시금 내게 다가오게 되었습니다.
그 인공지능은 핫 이슈로 떠오르면서 저의 꿈 중 하나
'작가'라는 작고 소중한 꿈을 향해 작은 손짓이라도 해볼 수 있는 기회를 가져다
주었습니다. 그래서 꿈을 향해 한 발자국 씩 다가가 보고 싶었습니다.

동화책을 통한 저의 꿈 이룸, 코로나를 통해 알게 된 자본주의의 경제 흐름, 온라
인에 필요한 공부를 하고 배우며 가르치며 선한 영향력을 동화 작가로 실천해 보
고 싶었습니다.
잠시 나마 어릴 적 저의 작은 꿈들을 이루기 위한 작은 몸짓에 지금 마냥 행복합
니다.

부디, 작디 작은 글과 그림이지만, 이것이 씨앗이 되어 저의 꿈과 선한영향력을
이루길 소망하며 ....

23년9월에 꿈을 품고 24년1월에 실행해보며.....

작은 정원의 큰 비밀

글: 나나쿡
그림: 미드저니
기획편집, 엮은이: 나나쿡

루엘은 할머니의 오래된 서재에서

책을 읽다가 신비한 보물지도를

발견했어요

"이 지도는 어디로 가는 걸까요?"
루엘은 궁금증에 가득 차 있었어요

할머니는 루엘에게

비밀 정원과 숨겨진 보물에 대해

이야기하기 시작하셨어요

루엘은 할머니의 이야기에 푹 빠져들었어요

상상 속에서

할머니 이야기 속의 마법의 숲으로

걸어 들어가기 시작했어요

숲 속의 고요함 속에서,

부엉이 한 마리가

루엘에게 다가왔어요

이 부엉이는 숲속의

저축 박사님이셨어요

부엉이는 루엘에게
신비하게 열려있는 동전 나무를 보면서
저축이란 무엇인지,
왜 중요한지 설명해줬어요

"저축은 미래를 위한 준비랍니다,
잊지마세요"

루엘는 정원에서 작은 동전들을
발견했어요

곧 바로
루엘은 저금통을 만들기로
결심했지요

'작은 동전도 소중하다고 했지!
이걸로 저금을 시작해보자'

맘속으로 크게 소리쳐 다짐했어요

루엘은 정원 곳곳에서 동전을 찾아

저금통에 저축하기 시작했어요

"하나, 둘, 셋, 저금통이

무거워지고 있어요!"

루엘의 마음은 기쁨으로 가득찼어요

마법숲의 동물 친구들은

루엘에게 다양한 저축 방법을

알려주었어요

"적금을 들어보는 건 어때?"

저축하는 돈을 모으기 위해선
"필요하지 않은 물건은 사지 않아도 돼!"

루엘은 마법숲에서 보물을 발견했어요

그것은 금은보화가 아니라
저축과 인내, 친구와의
우정을 상징하는 보물이었어요

"진정한 보물은 이 마음속에 있었어요!"

진실을 깨달은 루엘은......
마음속으로 많은 다짐을 했어요

루엘은 동물 친구들과 함께
저축에 대한 약속을 했어요

"우리 모두 저축을 통해 꿈을 키워요!"

"저축으로 나의 꿈을 하나씩 이룰 거예요!"

루엘은 저축하면 뭐든 할 수 있다고
마법숲 여행을 통해 알게 되었어요

여러분은 어떤 꿈을 가지고 있나요?

루엘은 꿈을 꾼 것 같았어요

그리고 루엘은
할머니에게 마법숲에서의
모험과 배운 교훈을
이야기 하기 시작했어요

"저축은 미래를 위한 준비!
맞지요! 할머니?"
"저축으로 나의 꿈을
하나씩 이룰 거예요!"

할머니는 미소를 지으며
루엘을 꼬오옥 안아주었습니다

7가지 빛깔
감성동화

제 7 화

숲속 친구들의 우정

작가소개
이루다연구소 대표
저서: 돈되는 1인지식 창업
　　　레시피가 궁금해?
*내 생애 최초의 해외여행 길라잡이
https://blog.naver.com/idream_lab

　그 동안 누적된 피로와 스트레스로 몸이이상 신호를 보내
왔다. 내 시간은 잠시 멈춘 듯 했다.
치료와 운동으로 1년이라는 짧지 않은 시간을 온전히 나
를 회복 시키는데 쏟아 부었다. 돌이켜보니 여태껏 내 몸
을 돌본 적이 있었던가 싶다.

그러다 문득 학창시절 시를 좋아하고 친구와 장문의 편지
를 주고 받으며 책쓰는것에 흥미를 느끼던 나를 새삼 발견
하였다. 여기 저기 기웃거리며 SNS를 익히고 용감하게 전
자책을 썼다.
또 언젠가는 동화책도 쓰고 싶다고 한 막연한 생각이 기회
로 다가와 동화책을 쓰게 되었다.

어떤 동화책을 쓸까 ?고민 하던 중 저출산 국가인 우리나
라에서 태어나는 귀한 아이들에게 다른 사람과 함께 살아
가는 것에 대해 이야기 해 주고 싶었다.
그래서 이책은 숲속 친구들이 모험과 경험을 통해 어려움
을 극복해 나가는 과정에서 친구와의 우정과 소중함을 알
아가는 여정을 그려 보았다.

　우리 소중한 아이들이 예쁜 마음으로 타인을 배려하는 마
음을 가졌으면 하는 바램을 가져 본다.

숲속 친구들의 우정

글·편집: 이종숙

그림:Playground AI

어느날 아름다운 숲속에 살고 있는 토끼
밤비가 아침 일찍 일어나 신선한 공기를
마시고 있었어요.
밤비는 오늘 왠지 특별한 일이 일어날것
같은 기분이 들었어요.

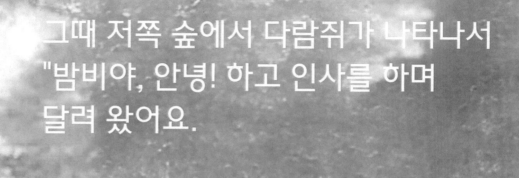

그때 저쪽 숲에서 다람쥐가 나타나서
"밤비야, 안녕! 하고 인사를 하며
달려 왔어요.

"밤비야 !우리 오늘은 숲속 깊숙한
곳을 탐험해 보자" 그러면 왠지
우리의 모험을 더 특별하게 만들어
줄것같아" 하고 말하였어요.

그리고 두 친구는 숲속으로 달려갔어요.
그런데 이상한 소리가 들려왔어요.
"다람쥐야! "슬픈 울음 소리가 들려.
너도 들리니? 무슨 일일까?"

밤비와 다람쥐는 울음소리가
들리는 곳으로 달려가 보니
작은 새가 길바닥에 쓰려져
울고 있는것을 발견했어요.
"앗, 다람쥐야, 빨리 와봐! 작은
새가 다친 것 같아."

밤비가 새에게 다가가서 물었어요.
"작은 새야 "무슨 일이니?"
"높은 나무에서 떨어져서
 다친것 같아."
하고 새가 말했어요.

밤비와 다람쥐는 작은새를
살펴보고 다리를 치료해 주었어요.
"자, 이제 괜찮아. 우리가 보살펴
 줄테니 걱정하지 마."
 하고 위로해 주었어요.

작은 새는 밤비와 다람쥐에게
"너희들이 나를 치료해 주고 도와줘서
정말 고마워."
하고 감사인사를 했어요.

숲속 모험을 계속하던 어느날 동물 친구
들은 울고있는 아기 사슴을 만났어요.
아기사슴 은 산책을 나왔다가 길을
잃고 엄마와 헤졌다고 울면서 말했어요.
밤비와 다람쥐는 아기 사슴에게
"걱정하지마. 아기 사슴아!
"우리가 함께 엄마를 찾아줄께."
하고 아기사슴을 위로해 주었어요.

동물 친구들은 엄마 사슴을 찾아서
탐험을 계속하고 어려움을 함께
이겨내는 동안 우정이 더욱 깊어지고
단단해 졌어요.

그러던 어느날 동물 친구들이
숲속 여기 저기를 헤메며 울고있는
엄마사슴을 발견 했어요.
아기 사슴은 바람결에 실려 오는
익숙한 냄새를 맡고 금방 엄마 사슴
인것을 알아챘어요. 친구들과
아기사슴은 엄마사슴을 찾게되어
무척 기뻤어요.

숲속 친구들의 도움을 받은 작은 새와
사슴은 친구들에게 고마워하며
"우리도 함께 다른 친구들을 도우며
우정을 키워나가고 싶어!"
하고 말하였어요.

밤비는 "우리가 함께 어려움을 이겨낸
덕분에 더욱 더 가까워진거 같아.
"이제는 우리 모두가 숲속의 가족이야.
동물 친구들은 숲속에서의 특별한
경험을 통해 우정의 소중함을 배웠어요.
그리고 함께 있을 때 가장 강하다는 것을
알게 되었어요.

앞으로 친구들에게 또 어떤 신나고
재미있는 모험이 기다리고 있을까요?
밤비는 친구들과 함께 힘찬 발걸음을
내 딛으며 다시 모험을 떠났어요.

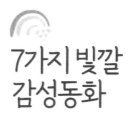

7가지 빛깔
감성동화

"안녕하세요, 독자 여러분!

　서로 다른 스타일과 세계관을 가진 작가들이 모여 각자의 독특한 시선과 상상력을 바탕으로 이 동화책을 만들었습니다.

　이 책은 7가지 다양한 빛깔과 감성을 담고 있으며, 독자들에게 다채로운 감정과 생각을 전달하기 위해 노력했습니다.

　7가지 빛깔 감성동화의 이야기들이 여러분의 마음을 따뜻하게 만들어 주기를 바랍니다.

　　사랑스런 우리 아이와 함께 감성 여행

7가지 빛깔
감성동화

AI동화컬렉션

7명의 작가들이 **인공지능**을 활용해 만든
감성을 자극하는 **동화 모음집**